Série dirigée par Michel-Claude Jalard

DU MEME AUTEUR

LISIERES D'UN BASSIN
(Ed. Jean-Michel Place, 1985)

JEAN-LUC COATALEM

PETITE
PAPOUASIE

roman

ÉDITIONS ROBERT LAFFONT
PARIS

« Il faut être bien sûr allongé sur le dos
ainsi que d'habitude et se laisser porter.
Il ne faut pas nager, non, pas faire comme si
on était simplement de ces rocs dans le fleuve,
regarder vers le ciel et se comporter comme
un que porte une femme, et c'est tout à fait ça.
Tout à fait sans bouger comme fait le bon Dieu
quand vers le soir encore il flotte dans ses fleuves. »

BERTOLT BRECHT,
« Flotter dans les lacs et les fleuves ».

Tu es sur ces photos. Je te distingue parmi les autres, un peu plus grand que la moyenne, les cheveux défaits. Ces photos sont anciennes ; elles datent de Bruxelles, de l'université, du temps de ce petit deux-pièces crasseux à proximité de la gare centrale et d'un quartier arabe.

C'est une photo de groupe. C'est une photo de groupe où l'on te voit avec des camarades, un professeur de français indécis et pâle, un chien gris tombé là par hasard, minuscule, qui bouge la queue.

Devant toi, puisque tu es au premier rang, debout, presque au centre, il y a une ardoise avec des chiffres à la craie et puis aussi une gerbe de fleurs dans un vase. Des glaïeuls sans doute. Sur la photo, l'épaisseur du verre en a grossi les tiges. Alors tu sembles tenir entre tes jambes comme un animal bizarre, étrange, moitié varan et moitié paon, dont au dernier moment tu aurais mis à jour la chair, vaguement salie, vaguement parcourue de sombre, blessée peut-être, chair qui te remonte jusqu'à mi-cuisses, t'éclaboussant.

Plus tard une autre photographie dans l'herbe verte. Celle d'une voiture américaine ou d'un couple qui se tient par le bras, en riant. Plus tard cette photo grise sur le vert de la pelouse ou des premières futaies. Photo prise sous les tamariniers, les hibiscus en fleurs. Photo sous le soleil chaud des Tropiques. Photo que le vent décolle, soulève, tourbillonnante maintenant au centre d'un petit siphon d'air chaud, jusqu'à disparaître et perdre sa belle couleur fumée.

Tu dis avoir des souvenirs, peu importe.

Tu dis te souvenir d'une longue Vauxhall dans laquelle vous rouliez, la nuit. Une Vauxhall bleue, une Vauxhall Cresta dont la banquette arrière sentait bon le palissandre et le cuir fauve.

Tu disais c'était des voyages à n'en plus finir, d'interminables voyages sur les pistes rouges, la latérite.

Vous traversiez les déserts et les forêts, et de cette banquette arrière où tu t'allongeais c'était, par la fenêtre en plexiglas, une lente procession de bois sombres et de montagnes de schiste.

Parfois, l'image devenait floue comme de l'eau qui s'agite, se marbre ; ton père, descendant les vallons, prenait de la vitesse.

Bien souvent, à cause de la fatigue, de la chaleur toujours présente, vous vous arrêtiez dans de petits hôtels, sur la route.

Tu te souviens du reflet des enseignes lumineuses sur le lit, le lavabo de faïence, le parquet mal ciré. Tu te rappelles aussi, plus vaguement peut-être, la configuration des chambres : l'armoire près de la porte, les appliques torsadées sur le mur, au-dessus du lit, la mauvaise baignoire et le tapis rêche, cotonneux, des waters.

Tu te souviens de la liquidité des draps aussitôt que vous vous y glissiez. Des mots aussi de ton frère, aux côtés de qui tu dormais, des mots qui disaient sans doute : nous aurions moins peur, oui, moins peur, si nous n'étions que des rochers avec des yeux.

Tu habiteras, plus tard, une maison peinte en bleu sur la route d'Ambohimanga, à douze kilomètres du palais de la Reine Ranavalona.

Une maison entourée de grilles, de bosquets de ronces, d'arbres touffus, d'une falaise abrupte, broussailleuse sur le dessus, où galopaient des canards, des oies et des phacochères en liberté.

Tu disais nous ne pouvions sortir à cause de la grand-route. Parfois des taxis-brousse brisaient l'échine des chiens en klaxonnant.

Une maison peinte en bleu remplie de caméléons et d'autruches, une maison tout en hauteur avec des tortues carnivores, des cotons de Tuléar, d'énormes magnolias.

Une maison où il y avait des boys et des palissades, une herbe très rapide qui dévorait le perron, un grand garage pour nos voitures, la Vauxhall de palissandre, la Silver Phantom, la verte Jaguar aux roues si blanches.

Nous sommes à Asnières, près du fleuve. La réverbération de l'eau est immense. Pendant quelques minutes, je suis resté immobile, comme menacé par le marbré de l'air, abasourdi.

A vingt mètres à la ronde, c'est le rideau opaque du brouillard. Karl va s'allonger dans l'herbe. Marthe se tient sur le rebord de terre ; un pas de plus la ferait disparaître, l'engloutirait. Elle s'est assise à présent, jambes croisées, mains posées sur le fouillis des herbes.

Des voiliers longent sans bruit les lisières. On entend, venus de très loin, les cris des nageurs qui se perdent. Karl allume une seconde cigarette, la fumée monte en volutes. Une vague courte viendra toucher ses jambes, au ralenti.

On voyait, de chez elle, passer les trains pour Versailles et Rambouillet. Le pavillon de sa mère était près du chemin de fer. Sur cette photo, on la distingue très bien avec, au fond du jardinet noirâtre, une traînée aux reflets métalliques.

Elle pose avec sa sœur. Elle se tient bien droite, les mains enfoncées dans une veste d'homme, le regard un peu arrogant. Ses cheveux sont relevés en un court chignon. Ses yeux sont foncés. Sa peau plutôt mate. Ses jambes sont belles. Elle a vingt-six ans, vingt-sept peut-être. Elle se hausse sur la pointe des pieds pour paraître plus grande. Tout son corps est amour.

Sur le cliché (toujours le même, plus ou moins noir ou plus flou), reproduit par les journaux anglais du soir, je la vois rire. Je reconnais sa bouche, ses cheveux, et ce collier qui fait une rayure sur sa peau. Sa façon muette, aussi, de montrer qu'elle est heureuse, là, devant ces journalistes qui sentent la bière brune et le tabac fort.

J'ai su plus tard ses mots à elle. Le bistre des timbres, le délié de son écriture ronde, nerveuse. Ces mots à elle (sur la toile de Seurat) : « *Le fleuve semble vouloir les recouvrir, les emporter assis ou allongés vers la mer...* »

Parfois vous n'entendiez que la pluie,
rien d'autre. Que la pluie sur la maison,
les vitres, les touffes et les mottes du jardin, les niches étroites en okoumé.

Cela crépitait sur le sol à cause du marbre et du ciment. Cela crépitait sur le toit,
sur les garages en tôles, les morceaux de
palissade.

Cela crépitait sur les chiens, les boys
assoupis, les rares voitures aux phares
allumés.

C'était comme du vacarme. Vous n'échan-
giez plus que des signes rapides, brefs,
comme des ordres. Dans toutes les pièces,
c'était noir. Vous habitiez trois mois dans
du sombre et de l'opaque.

Tu es sur ces photos. Oui, je te vois, je te distingue parmi les autres sur les ponts du *Calédonien*, les mains accrochées au bastingage, penché légèrement, les cheveux jetés par le vent.

Ici, au fond d'un pousse-pousse jaune, à Majunga. Là, en compagnie de Marthe, sur la plage de San Sebastian ; ici, encore, sur les bords de la Maine, juste avant tes examens de fin d'année — longue muraille sombre, les arbres derrière toi.

Ou là, définitivement là, parisien, matinal, écrivant plusieurs lignes sur une feuille de papier — la table large emplissant alors en diagonale l'exacte moitié du cliché.

Puis il y a les dunes et entre elles comme une avancée, un effondrement du sable humide dans les soubassements. A moins que ce ne soit le passage d'une voiture, une jeep par exemple, ou un petit camion monté sur des roues crénelées qui, après avoir quitté la piste des forêts, s'est lancé sur le sable en direction de la mer.

Dessus les dunes, c'est plein d'herbes, de ronces qui s'entortillent, des traces de pas aussi — comme des pierres que l'on aurait soulevées pour les lancer ailleurs, avec le vent.

Tu as fini par te relever. Tu t'es approché de Marthe. Tu as réglé quelque chose sur le boîtier de l'appareil, peut-être le diaphragme ou le sélecteur de prises de vue. Puis, après un moment, tu t'es reculé sans te retourner, tentant de le faire sans t'extraire du cadrage initial. Tu as remis tes cheveux en ordre, réajusté ton gros pull-over de laine, l'écharpe qui flotte.

Il y a trois photos comme cela, prises l'une à la suite de l'autre. Ce sont presque les mêmes, on le croirait. Ton expression ne change pas. Seule ta bouche murmure des mots ; à chaque fois, ils sont rapides.

Ta maison de vacances, c'est la maison de Robert-Louis Stevenson, la case poudreuse d'un nègre, un îlot perdu dans l'océan Indien, une réserve animale peuplée de roussettes et de lémuriens fauves.

Ta maison est en bois du bois des arbres, et ton lit une banquette sans draps, recouverte par le voilage d'une moustiquaire ancienne.

La nuit, juste avant de te coucher, sur la terrasse, le perron de marbre, le sol en torchis, ta mère te déshabille, ta mère te retire un à un tous tes vêtements d'enfant (ta chemise sans manches, ton short de toile, tes sandalettes de plastique), et tu sens encore couler la fraîcheur de ses mains, l'onctuosité piquante de ses doigts entourés de bagues ; ta mère assise à tes côtés, devant toi plutôt, encore jeune, jolie, attendrissante, ta mère t'enduit longtemps de citronnelle qu'elle étale de ses mains nues sur ta peau.

Et tu te souviens aussi de ces minuscules serpentins friables, de ces serpentins qui tiennent sur une tige de fer et dont l'odeur doucereuse, en se consumant, éloigne les moustiques géants, les mauvais rêves, le paludisme et l'envie de se baigner encore entre les vagues, parmi les poissons torpilles et l'ondulement blanc des requins qui feignent de dormir, les yeux mi-clos, nageant lentement.

A gauche c'est la mer, un voilier posé dessus, un boutre. Puis l'auvent et maman accoudée à la rambarde de pierre, tournée non vers le photographe mais vers cette jeune femme, qui apparaît plusieurs fois dans les séries prises à Majunga.

Sur le parapet du fond, bien au soleil, on distingue très nettement trois tasses de café et un cendrier en pâte de verre, transparent, dans lequel se consume une cigarette en équilibre. La perspective laisse entrevoir le capot d'une voiture, la plage bordée de palmiers, enfin un morceau de route qui longe le bord de mer avant de s'enfoncer vers l'intérieur.

Sur la droite, il y a un petit nègre en culotte courte, torse nu, qui penche la tête. Il a posé sa main sur l'une des poutres de l'auvent, et l'on se demande s'il n'a pas l'intention de défaire la ficelle, entourée tout autour, ficelle qui, jusqu'ici, en a retenu la toile.

Cette histoire de carte postale. Le jardin des Tuileries avec de petits enfants qui courent et d'autres qui sont en flou. Certains jouent au cerceau, poussé devant eux. L'un se penche et lance ses doigts vers l'eau brillante de reflets. Là encore, les voiliers de toile blanche, légers, suspendus, comme des cygnes assoupis.

Tout cela est ancien, d'une autre fois, piqué de brun. Et le reste avec des arbres, des statues perdues, avalées. C'est à peu près le même endroit.

Oui, la même place, précisément : les chaises en métal peint, les chaleurs presque tropicales, les aisselles qui transpirent. Cette rumeur aussi comme du brouillard.

Tu dis : elle regarde, je vois ses jambes, et derrière elle le tronqué de l'eau, rectangulaire. Le gravier crépite. Tu fais vers elle quelques pas. Bleu des garçonnets qui s'ouvre, doucement, sous ce bruit.

Tous ces mots te font peur : Tanganyika, ramatoa, Mozambique, alluvions, Nnongoro.

Tu as faim de romazafa, de mangues obscènes, de jujubes, de steaks de zèbres, larges dans ton assiette.

Tu ris. Je te vois rire sur ces vieux films, en super-huit, qui tressautent, entre des boas et des félins, entre les bruyères de neige, les jasmins jaunes, les aliboufiers, les angéliques du Japon.

Tu cours. Tu cours en sortant de la Land-Rover, en sortant de la Silver Phantom, de la Jaguar chromée, tu cours sur la piste rouge, les remblais de latérite, tu cours et ta main droite se tend, et tu nous montres, en riant, l'exacte ligne où passe le Capricorne.

Les crues, la saison des pluies, toute une partie de la région submergée par le fleuve, les rivières grosses d'arbres coupés, de barques à la dérive que le courant entraîne — jusqu'au moindre petit filet d'eau dont il faut se méfier, se garder.

Pour peu qu'elle fût située deux cents mètres plus bas, dans la vallée, non sur la hauteur, la maison aurait été engloutie.

Ta chambre de jeune homme. Ton lit étroit. Tes dessins, tes livres d'images comme de la viande décongelée, dégouttante d'eau noire, poisseuse, atroce.

C'est un sifflement rauque quand tu respires et que tu dors. C'est par la porte, par la rainure du chambranle, un long sifflement calme, de l'air qui passe ici, dans l'autre pièce, et qui se cogne aux murs.

On te perçoit mal dans l'obscurité. On te confond avec d'autres formes. Sans doute est-ce celle-ci, plus sombre, sur la droite de la chambre, à même le sol. Ou celle-ci, tout aussi longue, juste à côté des étagères de la bibliothèque. On ne peut faire la différence. Seule ta respiration guide, trahit ta présence. A moins que ce ne soit, ici et là, des manteaux jetés par hasard, oubliés peut-être, et ce sifflement régulier, de l'air qui se glisse du jardin par la fenêtre, avec un bruit léger d'insecte qui vole.

Le café-glacier : ses chaises de métal peintes en bleu, chaque printemps.

L'ombre du marronnier sur le kiosque à musique. Et à partir de cette vasque centrale (où quatre jeunes dieux portent un monde de cuivre) ces allées, couleur ocre, qui partent résolument en étoile.

C'est une photo d'hiver avec du soleil qui descend sur tes épaules. On voit de la neige, un peu salie, et des traces de pas dessus. On voit aussi que c'est flou dans le ciel, parce qu'il va pleuvoir des flocons.

Derrière moi, il y a des peupliers, des voitures en stationnement. Il y a aussi une petite fille qui traverse en courant la largeur de la photo.

Plus loin ce sont des immeubles, des hôtels tranquilles, des fontaines ouvragées. Et puis ensuite la grand-route, celle où il y a tant de gros camions, chargés peut-être de cannes à sucre, de pièces mécaniques, de graines de flamboyants et d'araucarias.

Tu te souviens de ta mère, petite et droite, toujours à l'avant de la voiture, aux côtés de ton père qui conduit, ta mère qui serre entre ses cuisses trop pâles la grosse glacière de provisions, la mallette aux outils, la boîte à pharmacie avec la morphine et la pommade à serpents.

Ta mère qui ne bouge pas, jamais ne se retourne, indique à ton père la route à prendre, là, entre les arbres, ici, par le pont submersible, au-dessus des bulles vertes et de l'écume. Ta mère qui parle doucement sans montrer ses yeux, sa fatigue autour des yeux, sa sueur très fine. Ta mère qui dit que ce ne sera pas long, qu'il faut apprendre à compter les villages en torchis sur la route, les postes à essence, les troupes de soldats nègres entourés d'officiers qui crient. Ta mère qui ne bouge pas, et qui dort à sa place, assise ainsi à l'avant, comme cela sans faire un geste et son petit ronflement, parfois la nuit, près du moteur, son petit ronflement qui couvre celui de la ventilation, les bruits du dehors, tous ces frottements très noirs qui se hissent rapidement jusqu'à vos phares.

Tu n'entends que le bruit de l'eau.

Et puis, quelques secondes plus tard, les paroles de ton père qui courait vers le fleuve, déjà s'y enfonçait.

Tu te souviens mal. Tu dis ne pas vouloir vraiment te souvenir, t'en tenir à ces seules images, rapides, fuligineuses aussi comme de mauvaises photos.

Ton frère devait être loin ; il traînait dans les arbres, grimpant à la recherche de fruits ou d'insectes charnus le long des troncs. Et ta mère, immobile comme à son habitude, à bord de la Jaguar, allongée à l'arrière sur la banquette de cuir, entre les armes à feu, les fanions multicolores et les paquets pleins de mouches. Toi, près du fleuve peut-être, déambulant sur les rives poudrées, urinant contre un arbre ou les yeux lancés sur les feuillages car, ce jour-là, tu t'en souviens, parce que le ciel était clair, qu'il faisait chaud et qu'il ne pleuvait plus, tu avais emporté ton minuscule lance-pierres pour descendre des courlis.

Il pleut. On entend l'eau bouillir sur la route. Ça fait de la mauvaise écume qu'aussitôt les rares voitures écrasent.

Le bruit de l'eau couvre les cris des chiens et les rumeurs étouffées du village. Tu marches dans le jardin d'hiver sous un grand parapluie.

Maintenant, tu es sur le perron de marbre et tu regardes toute cette eau qui tombe depuis des heures. Tu penses aux pierres dans les éboulements, quand les montagnes s'affaissent. Tu dis nous avions toujours cette peur, cette peur que la montagne sur la maison s'écroule.

Des fois, de la terre bouillante ravageait les niches, les poulaillers. Les boys criaient, torses nus, avec des pelles sous la pluie.

Tu es à la fenêtre, accoudé à la rambarde de métal. On ne voit plus le ciel. On se sent loin de la ville, des chemins de fer. On ne voit que le fracas. Que ce fracas qui veut vous recouvrir. Simplement le fracas d'une chose immense qui vous tombe dessus pendant des heures.

Tu t'assois sur ce banc du Luxembourg. Tu laisses traîner tes jambes dans la poussière. Tu regardes passer les gens. Tu fumes des cigarettes ou de petits cigares. Tu manges dans des brasseries, des self-services, là où il y a peu de monde.

Parfois tu dors dans des hôtels, tu es trop loin de chez toi pour rentrer, il est trop tard. Tu dors des jours entiers sans retirer tes vêtements. Peut-être que c'est l'été, le début de l'automne. Tu n'as pas encore froid. Tu vas te lever pour marcher encore. Tu vas sortir du jardin, rattraper le boulevard, traverser des avenues. Tu t'arrêteras peut-être dans un bar. Tu n'auras pas faim, tu boiras quelque chose, un café crème ou un Perrier. Tu sortiras du bar pour marcher encore, t'enfermer tout l'après-midi au fond d'une salle de cinéma. Ce sera un western d'Hollywood, un film d'amour, une histoire abracadabrante de batailles napoléoniennes. Tu n'y prêteras guère attention. Tu dormiras sans doute. Tu suivras les images en couleur.

Ton père est un inventeur, tu le sais, tu le racontes à qui veut bien l'entendre, aux marabouts, aux fantômes des arbres et des grottes, aux fakirs en tous genres qui grillent sans un mot sur des paillasses de bambou. C'est lui l'inventeur du harpon, de la canne à pêche électrique qui sonne, du fusil sous-marin, des mille hameçons trempés au curare. Tu l'as vu, sur la plage, construire ces engins redoutables avec un couteau de soldat et du métal très dur. Tu l'as vu appâter ses lignes avec des tranches d'ignames, des asticots rôtis, des paupières palpitantes d'opossum. Et tu l'as vu partir en pirogue avec les nègres du village et revenir, presque aussitôt, entre deux vagues, chargé jusqu'à ras bord de poissons torpilles, de poissons Napoléon, de langoustes bleues qui mordent, de perles laiteuses dans leur coque grossière. Tu l'as vu aussi, oui, bien vu, de tes propres yeux de fils, vingt fois être le vainqueur, le gagnant des Tropiques, et tu dis te souvenir parfaitement de ce jeu qui se passe près de l'eau, avec un enclos fait de palissades élevées sur le rivage et à l'intérieur duquel, dans le cercle parfait qu'elles délimitent, ce jeune cochon tigré, ce porcelet geignard, cet enfant de truie et de mangouste, ce pourceau beugleur, moitié varan et moitié panthère, pour lequel les hommes se battent, se font tomber, se noient, et dont la capture mystérieuse, loin des femmes qui dorment, loin des cases de tapa, des plantations soigneuses d'hévéas ou de bananes, fait de l'homme le grand vainqueur, le choisisseur, quelque chose comme un roi, un prince mauritanien, un évêque suprême de Tartarie, pour un jour, un soir tout au plus, le lumineux despote qui commandera la fête, l'ordonnance des feux et les danses des femmes réveillées, la sortie de toutes les pirogues vers la mer...

Et puis de ce cochon, de ce porcelet noir, de ce phacochère sans un poil, tu as une autre image, une autre image beaucoup plus précise, plus violente, une image où il y a une table avec ce fameux cochon tigre, les pattes liées par de la ficelle ou des câbles électriques, et tout autour de lui, faisant cercle, cette famille d'indigènes qui lui ouvre lentement le ventre, l'ouvre au moyen d'un couteau, un sabre peut-être, afin que son sang coule dans une casserole, et tu te souviens des mots de ta mère, de ta mère sortant de l'eau, rejetant ses cheveux en arrière comme des pieuvres humides, de ces mots qui disaient, ne va pas voir, ne va pas voir derrière l'enclos, les palissades, les champs d'ignames et de soja, les plantations aériennes de coprah, les bosquets sombres de tiarés, les taillis pour merles gris, ne va pas voir ce cochon qui hurle, ce cochon à boudin, ce boudin déjà, et tu entends encore les hurlements de ce cochon qu'on ouvre, saigne, dépèce enfin, ces hurlements d'enfant, ces cris horribles de porc qui, à présent, traversent toute la plage, doublent les vagues et la barre de corail, et puis reviennent comme autant de flèches, encore plus forts, sous le vent qui les renvoie contre les îles...

Plus tard, il y eut cette histoire du raz de marée, d'un cyclone venu d'Australie, de la Nouvelle-Zélande, du pays profond des Bantous, des Chinois empesés, des aborigènes en sueur.

Il y eut soudain beaucoup de vent. On voyait se coucher les arbres, s'arracher les toitures, s'envoler en l'air des forêts de branches, des centaines d'oiseaux affolés, des chiots ébouriffés qui jappaient de terreur.

Tu dis alors te souvenir d'une jeep, d'officiers en uniforme venus, tard le soir, vous attendre avec des vivres, des torches, des rations d'eau douce et de tabac. Tu te souviens de l'instant précis où tu es monté dans la jeep, encore en pyjama, traînant ton ours en peluche, emportant avec toi, parmi les ballots de ta mère, tes jeux de cubes alphabétiques, tes collections de cafards et de tamarins en poudre. Tu te rappelles les sièges durs, le tressautement continuel de la carlingue sur la piste, la route sauvage des montagnes. Tu te souviens du bivouac, du campement, des tentes hâtivement installées, des barbelés tout autour, tu te souviens du raz de marée, du vent qui te renversait, asphyxiait tes poumons, et de cette vague immense qui recouvrit, quelques secondes, les terres basses de l'île, bruit épouvantable d'escadrilles volantes s'abattant en même temps sur la caillasse du sol.

Ce sont des remblais de latérite, élevés comme des montagnes. Puis vos fenêtres, à égale distance sur les murs, sans teintes véritables.

La nappe est mise. Les couverts aussi tout autour des assiettes de faïence. Les plats bouillants arrivent de la cuisine (l'office, dit ta mère, répètent les ramatoas cireuses) en passant par le couloir. On les entend arriver au bruit que fait la porte de la salle à manger contre le mur. Les enfants sont servis d'abord, ta sœur en premier, ton frère et toi, puis ton père, au bout de la table, en uniforme chamarré de colonel, enfin ta mère qui ne se sert pas, piquera de temps à autre, à même le plat laissé au centre de la nappe, quelques rares morceaux très maigres.

De la salle à manger, encore moins du salon et du fumoir, on n'entend les bruits de la cour.

A treize heures très précises, faisant suite au café, au cognac parfois, ton père quitte le salon, appelle les boys. On sort du garage la Silver Phantom qui brille. Le moteur tourne à la perfection, parfaitement entretenu malgré les nuages de moustiques et la poussière. Une fois la voiture avancée, les boys se mettent en ligne, au garde-à-vous, le long des arbres qui délimitent le jardin d'été, les pièces d'eau pleines de poissons rouges et de tortues. Ton père passe ses boys en revue, un à un, méticuleusement. C'est l'inspection de chaque jour, la minute des remontrances ou des compliments. Puis le chef des boys prononce quelques mots. Ce sont les travaux à faire, la répartition des tâches. Ton père écoute l'ordre du jour. Ensuite il salue militairement les boys qui lui répondent du même geste. La voiture, silencieusement, ronronne. Un boy sort du rang, ouvre les grilles, arrête la circulation. Ton père grimpe au volant de la Silver, klaxonne, démarre. Après les deux virages et l'accélération qui y fait suite, le boy referme les grilles sur le jardin. Tout le monde se disperse. Vous, vous êtes déjà sur des chevaux qui galopent. Savanes ouvertes, rapides savanes.

Tu fais de l'équitation, tu es blanc, tu ressembles à ceux des ambassades, des réceptions, aux maîtres des lévriers, aux commandants des places, aux soldats qui roulent, fanfarons, dans les jeeps, volent sur les avions armés, descendent les bayous sur des patrouilleurs tranquilles, tu es de cette race et tu galopes tout ton soûl dans les rizières. Tu dis te souvenir de ces courses sur Iarivosoa, ton cheval brun acheté dans les provinces avec une centaine de mikis dont on a coupé les ailes. Tu galopes avec tes amis, tu traverses des villages bâtis en hauteur avec de la terre rouge, des morceaux d'arbres, du levain sacré, des plantes aromatiques. Tu galopes. Tu passes les montagnes avec une douzaine d'autres. Tu entends des nègres crier que tu es à cheval. Tu traverses d'autres villages encore. Tu es dans la jungle. Tu ne t'effraies plus, comme aux premiers jours, des boas, des cryptocrotes, des lémuriens jaunes. Une branche d'euca-lyptus cingle la croupe de ton cheval, il s'ébroue vers le nord. Tu repars de plus belle pour sauter des rivières, longer des fleuves marécageux, tu es en Papouasie, tu es dans la grande Afrique, au pays des nègres et des maléfices, au pays des sagaies et des jujubes, tu es en Papouasie et tu descends de ton cheval pour fumer une cigarette au goût de rose.

Passé les grilles, les palissades hérissées de tessons, on tombait sur une chape de ciment criblée de minuscules anfractuosités, surmontée d'une sorte de guérite où se tenait en permanence un nègre en armes. A gauche de la maison, débutait une sente qui menait aux garages, longs bâtiments bruns en tôle ondulée, de briques poussiéreuses, pourtant spacieux et clairs car le courant électrique parvenait jusque-là, au bout de deux ampoules, malgré l'humidité de l'endroit. A droite, il y avait une autre sente dont le tracé se ponctuait de dalles de pierre. Celle-ci conduisait, parmi les bassins à poissons rouges, aux différents jardins, celui d'été d'abord, puis celui d'hiver, plus abrité peut-être, en tout cas plus morne, plus inquiétant, pour finir par l'enclos des chiens, les élevages successifs de poules, de paons, de grues, de ratons laveurs et de pécaris.

Tu te souviens de l'odeur de chaque chose. Tu te souviens très précisément de certains endroits et plus particulièrement de ce renfoncement, à ciel ouvert, où ton père vous prenait en photo, chaque premier dimanche du mois, costumés ou bien nus.

Avant de grimper sur l'estrade construite à cet effet, votre mère vous avait longuement peignés de ses doigts. Une fois fin prêts, vous preniez place; ta sœur montait en haut des marches de bois, ton frère à ses côtés ou bien devant elle, toi, généralement devant, accroupi à même le sol. Ton père mettait alors un peu de musique classique, allumait un à un les six projecteurs dirigés contre vous, puis réglait son appareil fixé sur un pied métallique. Enfin il se reculait de quelques pas, contemplait d'un œil ravi le tableau de ses trois enfants juchés en pleine Afrique sur une estrade, et appuyait pour finir, en hurlant ne bougez plus, sur le bouton de prise de vue dont le déclic, invariablement, vous faisait sursauter.

Les dépendances, quant à elles, se trouvent après les enclos et les élevages. Il s'agit de cinq ou six maisons construites en dur, mais recouvertes pour le toit de longues palmes de bananiers que l'on change chaque saison nouvelle. C'est le petit village, comme dit plaisamment ta mère, par opposition au grand, situé de l'autre côté de la route d'Ambohimanga, près du fleuve, village qui ne vous concerne en rien et duquel, d'ailleurs, vous n'avez que faire.

Entre votre maison et les dépendances, sur le chemin qui part vers les palétuviers, longe un instant un vague ruisseau, il y a les plantations de cannes à sucre, d'ignames et de coprahs. A intervalles réguliers sont bâties des cabanes pour les outils, les tracteurs américains, les différents tonneaux d'insecticides. La majorité des indigènes est employée au travail de la terre. Le reste, soit une bonne douzaine, dans la maison même, boys ou ramatoas, cuisinières ou nourrices, jardiniers, gardiens, palefreniers ou chauffeurs-mécaniciens.

Chaque semaine, ton père fait du cinéma pour sa petite famille et pour ses nègres. Entendez par là qu'il décide, une fois encore, malgré l'absence de haut-parleurs pour le son, de projeter sur la façade ouest de la maison qui est restée blanche un film ou deux, généralement des documentaires militaires ou des histoires comiques avec Jean Gabin, Bourvil et Louis de Funès.

Le petit projecteur est placé à l'abri d'une tente, à environ quinze mètres de l'écran. On attend que la nuit tombe et que tout le monde se soit installé, assis par terre ou sur des poufs remplis de paille, en demi-cercle autour de la façade. Puis cela commence — entre les grésillements, les rayures du film, de l'objectif et du mur, on distingue à peine quelques images qui sautent toutes les dix secondes et que ton père, fébrilement, recolle avec des morceaux de ruban adhésif.

La jeune femme allongée dans la barque sur le fleuve, les mains sous sa tête. La jeune femme qui dort les yeux fermés, les yeux ouverts, la jeune femme habillée et nue à moitié et qui feint de dormir dans la barque sur le fleuve. La jeune femme sur le fleuve qui dort, réveillée par les odeurs du fleuve qui montent à sa rencontre. La jeune femme qui sourit sur le fleuve qui la berce, la pousse lentement vers la mer car sa barque est souple et tranquille.

La jeune femme nue qui dort sous le sommeil des arbres. La jeune femme nue qui repose, lent nénuphar endormi que poussent les feuilles et les alligators. La jeune femme nue qui dort et se réveille parce qu'il y a soudain des mouches sur ses lèvres, des mouches tranquilles et calmes qui la picorent et lui pondent des œufs dessus. La jeune femme nue aussitôt prise de tremblements. La jeune femme nue aussitôt réveillée, tremblante toute nue sous le baiser des mouches chaudes.

Jaunie : çà et là, de petites traces de rouille pâlie. Marthe en a une plus étalée que toutes les autres sur sa main droite. Karl en imperméable gris avec son chapeau melon. Il fume une cigarette qu'il pince du bout des doigts. Entre nous, Marthe, souriante, heureuse. Elle tient le bras de Karl. Et puis moi, sur la gauche, béret et vareuse militaires, qui ne sourit pas et ne tient personne. Derrière nous : la plage aux galets. Hautes falaises d'Etretat. La mer en rouleaux, le sable qu'elle retourne. Tout ça tombé d'un livre.

Photos de toi : un tirage photomaton où tu apparais quatre fois dans le sens de la longueur. C'est à Berlin, je pense, pendant ces grosses chaleurs qui suffoquèrent la ville tout un été.

Tu es en chemise légère. Tu viens de t'éponger la nuque et le front avec ton mouchoir. Et tu as bougé quatre fois, exprès le plus brusquement possible, de sorte que l'on ne voit rien de ton visage, de ton expression, sinon une masse floue, violente, sur le dessus vaguement noire à cause de tes cheveux.

Dès qu'il pleut la chambre se refroidit, devient plus obscure. Et il pleut depuis hier.

Tu t'es allongé sur le dos pour regarder les murs, tu ne bouges plus. Tu fermes les yeux ou tu les ouvres. Tu écoutes le bruit des autres locataires dans les étages, l'escalier de service. Tu essaies d'imaginer le froissement des draps lorsqu'ils ramperont, deux par deux, l'un vers l'autre, tout à l'heure, dans la nuit.

Puis tu fais le vide en respirant très fort et tu fermes peu à peu, le plus lentement possible, tes yeux qui pèsent. Et tu sens venir alors le sommeil comme une boule, et tu t'entends dire que tu pourrais, comme cela, rester longtemps.

On voit la mer. Le vent se jette. Il doit y avoir des rouleaux d'écume, des amas d'algues sur les vagues les plus petites. Des poissons très bruns qui s'en vont vite. Et aussi, plus loin, des bateaux de bois noir, avec la voile gonflée, ou basse, ferlée, sur le rivage. Ils disparaissent peu à peu, s'estompent parce que c'est la nuit. Et qu'elle monte, distinctement.

On la voit bouger, ramper, s'avancer. D'un coup, c'est elle. On la toucherait, crémeuse et lente. Milliers de langues autour de nous, battantes, contre les vitres.

Ce souffle.

On se recule un peu plus. Un peu vite. Pourtant les baies sont calmes, impassibles et franches.

Tu fus alerté par des cris ; ta mère peut-être ou ceux de ton frère, grimpé en haut d'un arbre. Tu te retournes, te hisses sur la pointe des pieds. Tu vois ton père courir avec une branche d'aliboufier ; il s'avance jusqu'à mi-cuisses dans l'eau boueuse, vers ce tourbillon dont la circonférence est parcourue de bulles grises.

Il crie à son tour. On voit bien que c'est lui qui hurle. Ta mère pénètre dans l'eau avec une torche sous-marine. C'est la nuit.

Toi, tu chasses les oiseaux depuis des heures. On ne sait où se trouve ton frère ; on l'entend pourtant qui court parmi les herbes et les boas, au-dessus des troncs d'arbres et des ramures effondrées, il court pour vous rejoindre. Tu t'avances.

Tu t'avances encore. Tu es maintenant sur la rive du fleuve, en amont. Tu vois tes parents, de dos, au milieu de l'eau profonde. Tu les regardes longuement avec ces vagues incurvées entre les jambes.

Et tu dis oui, oui peut-être, peut-être oui faisant semblant, mais alors comment ne pas croire à ces fables, sauter une fois seulement les balustrades et rejoindre les ifs taillés, les cyprès immobiles, la draperie des grilles imprimées, l'œil bleu des pièces d'eau, car avec la nuit viennent les fauves, descendent des ramures et des falaises d'argile, descendent et se baignent doucement dans l'eau froide des bassins, oui tous ces tigres, ces léopards dont on perçoit le frottement des coussinets, la râpe de leur langue sur les pierres sèches, et puis aussitôt ce bruit plus fort, oui, bien plus fort, car ils plongent à présent, ils plongent la tête la première, mouillent leurs poils, leurs sueurs anciennes, et de baigner ainsi tout leur grand corps poilu, luisant, entre le halètement des pieuvres apprivoisées et ceux des rémoras énormes.

L'école, c'est une ambassade, quelque chose comme une légation vers Isotry. Des limousines blindées vous déposent, chaque matin, devant les barbelés qui cernent l'immeuble, pour vous reprendre en début d'après-midi.

Tu disais : nous devions être une trentaine, une petite trentaine que des voitures officielles déposaient en haut de la montagne, là où se trouvait cette drôle d'école, ce palais bizarre, et nous étions si craintifs, si affolés, si vulnérables aussi, que nos mères se devaient de coudre sur le revers de nos chemises notre nom et le numéro d'immatriculation de nos voitures respectives. Et tu dis te souvenir des drapeaux étrangers sur le toit de ce palais, des gardes en armes tout autour, des canons d'artillerie installés dans la cour de récréation, autour des pistes de toboggan, sur les marches mêmes de la véranda, et de ces auto-mitrailleuses qui circulaient, au ralenti, entre les massifs d'hibiscus et les grands arbres déchaussés, avec un bruit épouvantable de tracteur.

Ta mère de se relever la nuit, tremblante de fièvre, marchant somnambule, les doigts mouillés par ce gros gant tiède qui passera sur tes lèvres, ton front, longuement tes yeux moites. Ta mère de se relever, de sortir des draps, blanche morte, décoiffée par l'insomnie, avançant lentement, avançant avec précautions, les mains devant elle pour ne pas se cogner, et toi de l'appeler de ta voix friable, je suis là maman, je suis là, et ta mère de corriger sa marche, sa venue, d'obliquer d'un coup vers tes propres syllabes qui la guident, et ses mains alors, et ses mains de te prendre, c'est toi, mon chéri, n'aie plus peur, et alors le gros baiser mou non de sa bouche mais du gant, du gant d'éponge dont l'eau déjà froide dégouline sur ta veste de pyjama, puis ruisselle sur ton pénis découvert qui se rétracte, affolé, surpris lui aussi non en plein sommeil mais dans ce no man's land de l'éveil et du songe, là où les images sont rapides, cahotantes et douces comme sur ces vieux films en noir et blanc...

Non des puces ni des tarentules, mais bien des caméléons que vous faisiez courir et qu'il fallait capturer, tôt le matin avant l'école, à l'aide de grosses perches entourées d'un chiffon rouge qui les déséquilibraient.

C'était bien des caméléons, des fils de varans, des cousins d'iguanes, des caméléons que vous dissimuliez, goguenards, dans vos trousses et que vous emportiez dans vos cartables à l'école, et puis aussi il y avait ces abeilles, ces abeilles que vous faisiez dériver dans le ciel, tenues au bout d'un long fil de soie ou de nylon, lentement puis plus vite, en sortant des limousines blindées, en contournant les jeeps et les mitrailleuses, en vous asseyant une bonne fois pour toutes dans cette grande pièce claire, tout en haut de la montagne, véritable nid d'aigle où l'odeur de la craie se mêlait à la sueur des soldats camouflés, à celle de la graisse de leurs fusils, aux fumées bleu et gris de leurs cigarettes, piton rocheux, inaccessible, au bout de cette seule route piégée dans tous les sens, surplombant la ville aux mille plateaux dont les banlieues une à une colmataient l'horizon.

Tu disais te rendre au lac Mantasoa avec tes parents, ton père, la grosse voiture et les paniers de victuailles. Tu disais emmener avec toi l'ensemble de tes animaux, tes cotons de Tuléar, tes autruches naines, ta collection patiente de pains d'épice, de cartes forestières et d'échelles démographiques.

Tu disais, une fois encore, rouler pendant des jours à travers les montagnes, par-dessus des cours d'eau pleins de pierres coupantes, au milieu d'interminables plantations d'hévéas, d'ignames et de bananes.

Tu te souvenais de certaines phrases de ton père, il faut rouler encore un peu avant que la chaleur ne se lève et nous tombe dessus, et tu imaginais cette chaleur comme un monstre terrible, une sorte de ptérodactyle, un gigantesque cryptocrote avec des ailes, enfin quelque chose d'un

poids immense, sorte de torpeur aux allu-
res préhistoriques, avec des mâchoires
jaunes et des yeux luisants et dont les
cris auraient glacé les pistons de la Silver,
figé d'effroi jusqu'aux moindres loupiotes
du tableau de bord de la Jaguar.

Ta sœur, ces jours-là, après les courbes
de Ihosy ou celles de Betroka, alors que
vous filiez à cent à l'heure vers Betioky
et Tuléar, ta sœur, tu faillis la perdre à
cause des poulpes et des algues carnivores.

Tu la vois soudain disparaître, aspirée
par les pieds, puis remonter ensuite comme
un ballon de plastique en soulevant de
gros bouillons d'écume. C'est alors qu'elle
hurle, jambes prises au lacis des nénu-
phars et des épines, ventre aussitôt piqué
de mille hérons qui se l'arrachent...

Photographie de toi, tombée, perdue, roulée par terre. Photographie de ta mère, peut-être, ou bien de Marthe, promenade des Anglais ou San Sebastian quand il y avait tempête et qu'il pleuvait des bourrasques sur la ville et le bord de mer.

Photographie perdue, salie par terre, déjà en boule, en morceaux, bouffée par l'égout de la rue Vercingétorix, comme un petit morceau de serpillière.

Photographie disparue, avalée, oubliée déjà.

Passe la draisine sur ses rails, moteur au ralenti, de la vapeur sur les cases, les plantations mauvaises. Tout le long du pont suspendu au-dessus du vide, trente mètres à pic peut-être, avec les pierres au fond, et nous sur cette draisine, ligne désaffectée des mines d'or et de chrome, bousculant les nègres endormis sur la voie, les singes effrayés, les zèbres qui galopent en sens inverse, trente mètres au-dessus du vide et la draisine qui roule au ralenti, entourée de vapeur et d'escarbilles qui montent pour blesser les yeux, couper légèrement la chair des joues et des oreilles. Ton père a dit de ralentir, les rails devant gémissent, le tablier craque devant nous, et les fauves de chaque côté s'échappent pleins de poussières, trente mètres au-dessus du vide, à présent comme si nous ne voulions plus avancer ou alors le plus lentement possible, imperceptiblement, avec notre bruit d'essieux et de ferraille, et nous allongés sur la carlingue en compagnie de nos chiens patiemment dressés, de nos armes, nos victuailles, remontant peu à peu à travers les forêts, les tracés qui se perdent, et nous, à trente mètres, au milieu de cette vapeur qui brûle les poumons, fige les guerriers nègres, tombe, maintenant, en nappes épaisses dans le vide...

Le canal du Mozambique : tu as dix ans, douze tout au plus, tu lis Jules Verne, Alexandre Dumas et Georges Simenon.

Tu reçois par la poste aérienne (une ordonnance dépose chaque jour sur les marches du perron, entre les plantes grasses et les caméléons immobiles, le courrier pour ton père, tous ces messages codés, secrets, les plis confidentiels) des magazines pour enfants, des jeux en carton à construire, des soldats minuscules dont tu colores les casques avec de la peinture mauve, des réclames pour des lessives, des tombolas, des programmes de cinémas dont tu fais des avions de papier, lancés les soirs de grand vent au-delà des palissades et des pièges à tigres.

Tu as dix ans, tu parles nègre, papou, tu dis comprendre le comorien, l'english des ambassades, le créole des zomas et des souks, tu discutes avec le petit Allemand de la maison voisine qui possède deux gros chiens dressés au combat.

Souvent, vous vous baignez dans sa piscine, et du plongeoir duquel tu sautes en te bouchant le nez, en serrant tes jambes, en ayant peur pour tes testicules, tu découvres à chaque fois un peu de cette ville nègre, ces milliers de cases qui, une à une, ont recouvert le fleuve et qui, à présent, l'enjambent comme un pont vivant, un pont qui sent fort l'oignon frit et la mandarine.

Tu cours, tu cours longtemps sur du sable noir, brûlant (vieux films où tu progresses par saccades, entre les hachures et les grésillements), tu cours et tu plonges en courant, et tu te relèves et tu continues de courir, et tu t'enfonces dans la mer et tu cries de toutes tes forces parce que les vagues les plus hautes, les plus rapides, te submergent, aussitôt t'emportent vers le grand large, parmi les hordes de squales, les légions de raies et de pieuvres, les toundras sous-marines.

Mentir, oui mentir, mentir dans les ifs, les buis taillés, les palmeraies tranquilles, mentir, mentir encore, raconter l'après-midi sage, le beau soleil du jardin, l'après-midi patient et doux près des bassins d'eau fraîche, les élevages de pécaris, mentir, ne pas dire la broussaille, les cigarettes américaines, la savane entière qui brûlera un jour, par mégarde, lassitude de la chaleur, oublier les cavalcades à cheval, les troncs d'arbres sautés et les rivières, les oasis perdues au fond des vallons verts. Mentir, ne plus effrayer la mère, irriter le père, rester l'enfant sage, cheveux peignés par les bonnes après le déjeuner, mentir encore, et la mère rassurée, confiante, et de passer comme toujours, marchant lentement à vos côtés sur les dalles des pelouses, ses doigts dans vos boucles, ses doigts sur le mauvais pli de la chemise, l'auréole de sueur grise, la chair qui se cicatrise sur vos genoux, bleus qui se défont, peu à peu, comme si la peau bronzée les buvait insidieusement par en dessous.

Et lui de dire simplement qu'il faut attendre encore que l'insecte se déplie peu à peu, lisse avec sa langue le bout poudré de ses ailes jaunes, et qu'il remue enfin la tête pour dérider ses yeux, prendre souffle, battre alors des ailes, et là, à cet instant, à la seconde même où il va s'envoler, attiré par la lumière comme par un aimant, là, juste là, lui faire la piqûre d'éther et celle de formol, et le gros papillon de se mettre à trembler, boule de miel trop frais, de s'immobiliser, plomb fondu coulé dans sa nuque, liquide atroce qui le mord, de le décrocher sans trop le meurtrir, et de le piquer d'épingles sur la soie rouge couvrant le liège, décoration vivante que tu garderas longtemps dans ta chambre d'enfant, posée en évidence devant une rangée de livres, parmi des pièces de monnaie et des massues sculptées aborigènes.

C'est une cour intérieure avec un arbre sur les pavés. Un arbre dont le feuillage fait du noir sur tes fenêtres. Tu habites seul cet appartement. Tu y as tes habitudes, tes manies de vieux garçon. Les commerçants du quartier ont fini par te reconnaître ; tu parles avec eux du temps qu'il va faire, des embouteillages près de la gare, des augmentations diverses. C'est pour toi déjà une vie immobile, une vie où il ne se passe rien, plus grand-chose. Des jours qui se ressemblent à s'y méprendre et dont l'air vient comme à se raréfier quand tu respires plus lentement.

Certains mots, certaines phrases soulignés dans tes livres. Papiers jaunis, annotés de ton écriture minuscule, râpeuse, tombant d'entre les feuilles.

Crayon gras, charbonneux. Là où tu as lu.

Tu dois avoir vingt-huit ans. Tu dois mesurer et peser quelque chose, un certain chiffre qui t'appartient.

Tu dois ressembler à quelqu'un.

Tu ne pars jamais en vacances. Une fois peut-être à Londres pour voir les Seurat. Deux fois à Trouville. Les voyages te font peur à présent. Ta sœur est morte. Tu racontes qu'elle s'est fait renverser par un autobus, une arroseuse municipale sur l'avenue Gabriel, près des Champs-Elysées, à neuf heures du matin, un dimanche qu'il pleuvait. Mais elle est dans un marais, noyée en pleine Afrique, perdue dans un fleuve boueux, une Papouasie saumâtre...

Milliards de bananes qui sèchent, une à une posée sur de longs tréteaux de bois, face aux montagnes de Brickaville. Milliards de bananes posées là pour le soleil et pour les mouches. Milliards de bananes dont l'odeur doucereuse monte jusqu'à la ville les matins de grand vent, et dont les relents imprègnent jusqu'au papier-monnaie sorti des poches, les pneus chauds des voitures, le drap des femmes, les caries des gamins qui marchent en chantant...

Des coups de feu ; ils claquent, se multiplient à cause des murs qui se renvoient leur déflagration. Aussitôt, c'est comme un film qui s'accélère : les nègres se mettent à courir dans tous les sens, les voitures s'arrêtent, on se couche à plat ventre sur le trottoir.

De très loin, on entend des cris et puis des sirènes de police gagnant les parties basses de la ville. On dit qu'il y a des morts. Des incendies aux alentours du palais royal, des ambassades et des docks.

Ton père a parlé de s'en aller, quelques jours, sur une île, vers le nord. Sur la table de la salle à manger, près de l'abat-jour, on a déplié les cartes. On prendra un avion à hélices jusqu'à Majunga, puis un boutre, enfin une pinasse à moteur pour Nosy-Komba. Il faudra plusieurs voyages, dit ton père. A moins de tout laisser en plan, ici, et de partir immédiatement. Les Allemands de la plantation voisine se sont déjà enfuis ; ils ont remis en liberté les poules, les cochons d'Inde et les lynx d'argent.

Bien avant : on aurait cru entre les arbres voir descendre le ciel, non pas s'arrachant à eux mais s'y glissant, s'y infiltrant de tout son poids. On restait là durant des heures. Puis cela s'allumait entre les branches et les ramures, or et rouge. C'était, disait le père, la mort de quelque chose.

Là, sans rien dire et seul, au milieu d'images qui reviennent, s'animent, d'abord lentes puis rapides, et elle qui s'avance sur le gravier des allées, contourne un bassin de pierres sèches, passe derrière les ifs et les buis taillés et revient maintenant sur l'image, non plus de face mais de profil, toujours à la même allure, légèrement décoiffée. Puis une autre fois encore, à moins que ce ne soit au même moment mais plus loin, en un nouveau cadre, sous une nouvelle lumière, avec non plus le parc à la française en contre fond mais un simple jardinet ponctué, çà et là, de chaises en rotin, d'un palmier sur la gauche, quelque chose comme de la terre tout autour, du sable sûrement. Et d'y marcher encore, allure tranquille, passant de gauche à droite, s'échappant violemment du rectangle pour réapparaître ensuite, de face dans le cadre, après un petit déclic, un grésillement, une saccade du film, réapparaissant ainsi, presque pareille, si ce n'est plus encore décoiffée, ou coiffée autrement, d'une autre façon, avec des cheveux sur son front, une mèche rebelle sur ses yeux qu'elle balaie de sa main, il y a une seconde.

Ou alors des papiers laissés, des lettres, des pages de livres, des gravures striées, et puis un cendrier de cristal posé sur la table, dans lequel se consume une cigarette en équilibre, et tout autour c'est maintenant le décor d'une chambre, une chambre avec du parquet, un miroir qu'entourent des torsades de stuc moulé, une chambre lambrissée de clair avec, sur la gauche, un lit défait et un morceau de tabouret, une chambre vraisemblablement à Paris, dans le douzième arrondissement, à côté de la gare de Lyon et du métro aérien qui, avant de se lancer au-dessus de la Seine, longe un instant l'Institut médico-légal. Et là encore elle se lève, pousse de sa jambe la chaise, se redresse complètement, déplisse sa jupe, avance sur le parquet qui craque, glisse par l'encoignure d'une porte latérale et puis disparaît dans l'escalier, descendant alors deux par deux les marches pour tomber enfin sur une cour intérieure, pavée, coincée entre des façades d'immeubles avec, au beau milieu, faisant face au porche qui donne sur la rue, l'arrêt des autobus pour Montparnasse, ces trois grosses poubelles en plastique rogné et l'arbre, palmier africain poussant tout droit, terriblement vertical dans son minuscule rond de terre, où il y a des excréments de chiens et des excréments d'oiseaux.

Alors des lettres, trois ou quatre au plus, des lettres où court son écriture fine, nerveuse, hachée par endroits, des lettres dont l'écriture rapide, suivant une courbe ascendante, emplit aux trois quarts le périmètre du papier ou celui des cartes postales, mordant de temps à autre sur la partie réservée au destinataire, mordant seulement de quelques mots, quelques signes à peine, un l, un s venu d'un pluriel, un g qui tombe en cataracte, et tout ceci se finissant d'un coup par une sorte de griffe, rayure, accroc illisible, volontairement rageur, signature apparemment mystérieuse tournoyant autour d'un o central, à moins que ce ne soit une goutte d'encre ajourée en son milieu ou un défaut du papier sur lequel la plume en or a buté.

Et de marcher à nouveau, même allure, économe dirait-on, coiffée à présent comme la première fois, c'est-à-dire avec les cheveux ramassés vers l'arrière, la nuque couverte, elle passe devant le rideau de fer d'une mercerie, remonte le boulevard, longe enfin un square ouvert aux cerceaux des enfants, aux jeux dans le sable, aux roulements des landaus de toile imperméable, elle marche une fois encore pour s'arrêter là, soudain, sans raison apparente, sur le rebord d'un trottoir lavé à grande eau, presque en face du café « Le Pérou », et l'image aussitôt de s'estomper, de se volatiliser en un claquement sec, et la pièce où nous étions de se plonger immédiatement dans le noir le plus total, duquel émergeront, un peu plus tard, quelques minutes à peine, de petits objets en jade, un début de fauteuil Ruhlmann en macassar avec posée une photographie d'elle quand elle sourit.

Ici, écriras-tu, les rues sont calmes, sans voitures, et les appartements restés ouverts, l'après-midi, laissent entendre des sonneries sans fin.

Dehors, aux abords du parc et le long des corniches autour du lac, il y a des gens en tenue légère qui prennent le bon air, visiblement ravis du soleil. La maison est exceptionnelle. On voudrait rester là des semaines entières, à ne rien faire, dormir peut-être.

Hier, tu as marché jusqu'au parc municipal pour voir les fontaines de marbre dont parlait le dépliant touristique. Puis vers l'ancien casino dont il reste peu de chose.

Cette photo-là a été prise un peu plus tard à la villa Hélianthe. Tu as laissé ta robe de chambre sur le sofa, en dessous de la grosse applique de cuivre. Tu te baignes dans le bassin de céramique. La forme ovale de ce bassin, évasé en son centre, reflète un pan de la bibliothèque, et puisque tu as bougé dans l'eau tiède, les livres ont l'air de prendre feu. Derrière toi, posée sur la table basse, il y a des palmiers nains. Cela fait comme une muraille pour te cacher ; une sorte de paravent tissé de feuilles aiguës, paravent qui ploie en son milieu comme pour noyer sa tête.

Milliers d'hirondelles tremblantes, posées sur ses yeux. Où est-elle ? Au fond de quel gouffre, vers quel amour, se tient-elle close, a-t-elle pris séjour, lentement pris séjour ?

Des choses invisibles l'emportent.

Et ce souvenir-là, aussi, bien avant, l'amie de ta mère, l'amie de ta mère aux jambes de pain blanc, aux seins pointus que gonflaient la chaleur et les vents insupportables.

Petit chiot, disait-elle, alors que les domestiques couraient dans tous les sens pour d'invisibles travaux, et qu'apprenant avec elle les rudiments du tennis ou des mathématiques, elle te laissait glisser sous la table de rotin ta main timide le long de ses cuisses, jusqu'à planter tes doigts dans sa méduse molle, gonflée de cils, et que sa propre main descendait à la recherche de ton sexe tendu, petit fruit huilé qui te faisait si mal et qu'elle allait ensuite emprisonner dans sa bouche pour que tu gémisses

et alors il fallut le désigner parmi la frondaison sombre des arbres, là, ici, à peine posé mais déjà si lourd, le montrer du doigt jusqu'à ce qu'ils arrivent armés de frondes et de fusils, les hommes du village s'approchant tous ensemble de l'animal éreinté. Et vingt pierres coupantes de partir d'un seul coup, décochées ensemble, essaim vrombissant dans le ciel bas, fondantes sur le corps de l'animal qui, sans un cri, s'abîme sur la rocaille sèche du sol, reprenant curieusement une fois à terre et déjà dépecé la position d'un enfant endormi, lové sur lui-même.

Dormant ainsi près des murs, dans les angles, corps en équerre, comme ramassé par le rêve pour être mieux emporté.

Une unique photographie. Parfois très noire, fuligineuse. Deux caméléons posés sur ton ventre. Ou plutôt l'un au centre de ta poitrine, entre les deux tétons comme un pendentif et l'autre encore dans ta main. Sa tête sort de la boule de tes doigts, et puis même le début de ses pattes. On dirait qu'il s'extrait de la prison de ta main. Il veut peut-être rejoindre l'autre, remonter les côtes, trouver l'endroit du sternum. Ta tête penche. Tu regardes les animaux. Le premier monte sur ta gorge. Cela fait comme de minuscules ventouses, légèrement huilées, qui se déplacent lentement, avec du mal. Puis il contourne ta gorge, rejoint ta nuque, ce petit creux duveteux. Là, après ton cou, il ne bouge plus — miel qui palpite. L'autre, maintenant échappé de ta main, descend vers ton nombril. Il semble vouloir s'y lover, s'y accrocher avec ses dents. Sa queue très longue bat doucement sur ta peau. Tu ne dis rien. Sur la photographie, tu as gardé une immobilité de pierre. Ensuite, tu relèves d'un coup la tête. Tu ris aux éclats. Un des caméléons se décroche, tombe sur le gravier dans un bruit mou, amorti. Le chien-griffon se rue. Il surgit des fourrés ou de sa niche pleine de paille, tu ne sais plus. Tu cries. Tu cries une fois très fort. Le chien s'arrête aussitôt, brusquement, coupé dans son élan. Il te regarde, obéissant, baveur. Tu ramasses le second caméléon en pliant tes jambes, en baissant imperceptiblement ton buste. Ta main gauche racle la terre, trouve le corps humide, remonte l'animal. Tu le reposes à sa place, aux alentours du nombril, il s'y colle. L'autre n'a pas bougé. On dirait qu'il ne bougera plus de ta nuque, là où c'est chaud et tendre. On dirait aussi qu'il va te mordre. Qu'il va te mordre de ses dents fines de serpent, qu'il va te mordre longtemps pour cela.

Puis devant la lampe, la table et le verre d'eau. Et en lui, par reflets, la plume d'un stylo et un peu du blanc de la lettre.

A mesure que le jour remonte la fenêtre se peuple d'ombres qui s'éclaircissent : des toits, des angles de gouttière, des rambardes de métal, du linge pendu.

Parfois quelques visages mouillés par l'eau des canalisations.

Il fait jour. La lumière ricoche. Les murs sont plus lourds. Les choses plus enfoncées. Cette nuit, il a fait froid.

Tu disais : elle était là-bas pour le soleil, c'était des vacances. Elle était là-bas pour les îles, pour la mer qui monte jusqu'à la ville et puis les bateaux à moteur qui vont dessus.

Sur cette photographie, elle est en short avec le haut de son maillot de bain noir. Ses cheveux s'emmêlent à cause du vent. Elle se tient debout sur une terrasse qui surplombe le port. Derrière elle, il y a des gens tellement penchés qu'on croirait qu'ils vont se lancer dans le vide, des gens comme elle qui se reposent entre deux bains.

Elle doit sortir à peine de l'eau. Elle y retournera tout à l'heure. Bientôt elle va rire aux éclats et j'aurai envie d'embrasser sa bouche ouverte. Elle aurait pu écrire : « *Je me baigne si souvent que, la nuit, je rêve qu'en nageant tu me rejoins.* »

Non plus près des gares mais à proximité d'un parc municipal, d'une cité universitaire, petit deux-pièces crasseux donnant sur une arrière-cour encombrée de poubelles et de cartons pliés. Et là, ainsi, au milieu de quelques meubles, livres en piles, cendriers trop pleins, ce lit de mousse à peine plus large qu'une banquette de train, où ton mauvais sommeil t'enroule comme un serpent, cheveux défaits, yeux plissés, endroit duquel tu ne t'échappes que pour rouler par terre, à même le sol, le tapis sale, attendant simplement que la nuit remplace le jour et le jour la nuit, et que les heures une à une se succèdent, interminables et luisantes.

Oui, tout cela, tout cela peut-être.

Oui, tout cela, avant la guerre de Pologne, celle des Boers, bien avant ta propre guerre du côté de l'Allemagne, Marckolsheim, le Rhin, les hussards par régiments entiers qui traversaient dans des chars, des jeeps, des side-cars et qui, parce que vous actionniez les barges, les treuils mécaniques, les petits moteurs américains, vous lançaient pour vous remercier des chips dans du plastique brillant, des rations de singe pourri, des chaussettes de laine, des moufles capitonnées, des cartouches de feu d'artifice et des fanions tricolores. Oui, c'était bien avant cela, avant cette déroute, ces voyages en camions bâchés, ces bivouacs sous les arbres d'hiver, l'hiver de l'Allemagne, profonde Bavière et tu devais être encore amoureux de la vendeuse de cigarettes, celle qui derrière son comptoir vous vendait des « 555 » et des « Pink », celle qui vous les vendait à la pièce ou par deux, dix ou quinze petits francs malgaches, pour fumer l'après-midi, dans les broussailles, les savanes poudreuses, pour être bien avec la fumée grise du côté de Tananarive, non loin du château royal de la mère Ranavalona, à douze kilomètres exactement de ce grand fleuve aux vingt mille nègres, de cette maison bleue entourée de palissades, de sa corolle de tessons, là où il y avait tes collections, ton élevage savant, méticuleux, ton élevage d'enfant sage, crapauds de cuir souple au fond des bocaux de verre, fourmis rouges dans leurs cornues qu'allumait le soleil, rats musqués dont le museau s'arrachait au grillage de métal.

Tu collectionnes les pièces de monnaie britannique, les plaques d'immatriculation des taxis de Majunga, les timbres oblitérés et notamment les Pétain vermillon et les

Blériot amarante. Tu collectionnes les mèches de cheveux, les poils des griffons, les ongles rognés de ton petit frère. Tu collectionnes des pierres, améthystes, micas, jades, béryls, bois silicifiés, poussières d'ardoises fines. Tu possèdes trois sils que tu fais rouler dans la cour. Tu as deux chiens dont un dressé pour la chasse aux perdrix. Tu rêves d'un fusil à air comprimé, d'un perroquet du Gabon, tout gris, qui saurait dire bonjour. Tu rêves des programmes de la télévision française, des salles de cinéma, de parkings, de bretzels. Tu ne sais pas ce que sont les métros, tu dis c'est un train illuminé qui roule en craquant sous la terre. Tu habites la forêt vierge, la pampa, les plateaux de l'Horombé, les rives encombrées du Mangoro ou celles de la Betsiboka. Tu dors bien dans les cabines vernies des canonnières, les hamacs de soldats, les carlingues des DC-8. Tu portes à ton poignet gauche un bracelet d'esclave en argent pur ou, comme les enfants mélanésiens, une rondelle de plastique noire volée sur un tonneau de fuel.

Bientôt, vous traverserez le sud à bord de la Vauxhall. Vous coucherez dans des infirmeries, des dépôts militaires, des théâtres oubliés sur la route. Vous aurez chaud, vous irez loin. Tu compteras les flamants roses et les gnous, les iris, les orchidées sauvages, les pierres de cratère. Vous irez à dos d'éléphants, passant à travers la jungle au son d'un tambour, vous chasserez le tigre, le léopard des neiges, le tatou poilu. Tu tireras pour la première fois avec une carabine contre un arbre. Tu apprivoiseras une mante religieuse. Tu suivras la migration des zèbres, celle des girafes, penché à la portière. Tu verras le repos des lions, couchés dans les fourrés, celui des hyènes un peu plus tard, près des cadavres, gazelles de Johnson. Tu visiteras la plus grande porcherie du monde, avec des allées numérotées, des postes à essence, des distributeurs de chocolats glacés et de gousses de vanille. Tu goûteras au poisson cru, aux ignames, aux fruits d'arbre à pain cuits sous la cendre. Tu feras voler des poules en les lançant d'en haut d'une falaise pour qu'elles apprennent. Tu déroberas un bijou en or au marché d'Amboasary. Tu assisteras à des sacrifices de taureaux, des circoncisions, des mariages, des retournements d'anciens, secs et menteurs. Tu voudras t'acheter un lamba blanc. Tu prendras de la nivaquine, visiteras des boucheries en plein air, des prisons gouvernementales. Tu parles au président dans sa Mercedes. Tu échangeras des histoires très longues contre d'autres histoires tout aussi longues. Tu graviras la montagne en méhari, en descendras d'autres au fond d'un pousse-pousse. Tu chanteras des cantiques avec un missionnaire qui se promène en pirogue et dont la paroisse est grande comme la France. Tu oublieras ton nom d'enfant. Tu seras le petit blanc, le toubab, le missié, le *frani tayoro*, le protégé des ambassades, des cohortes de mercenaires cinghalais, des tanks et des avions de guerre, tu seras le petit blanc, le petit gars en short de toile, celui qui parle comme un homme et dont les poches délivrent d'inépuisables billets de monnaie bariolée.

D'ici, six fenêtres, six fenêtres avec chacune son pan de mur, son étage, son réseau compliqué de rebords et de gouttières, de petites traces aussi partout sur les parois, qui font comme des zébrures, des coups de griffes, des éraflures rapides. Et puis sur les deux autres côtés, les mêmes constructions de sorte qu'ouvrant ta fenêtre ou regardant simplement à travers elle, tu as cette impression d'être au fond d'un puits, d'habiter de ton premier étage la seconde pierre d'un édifice concentrique qui t'enserre.

En bas, il y a une cour intérieure qui s'emplit souvent sous les orages. L'endroit est évidemment très sombre. Le porche qui passe sous l'immeuble de droite pour rejoindre le boulevard fait l'effet d'un trou noir, d'une ouverture soudaine.

Ce sont des immeubles de la fin du dix-neuvième siècle, comme il y en a tant à Paris, avec de minuscules balcons ouvragés qui donnent sur la rue. Les appartements sont souvent exigus, on dirait de grands couloirs qui partent en enfilade les uns après les autres. Intérieurement, les plafonds, hauts pour la plupart, s'ornent de rosaces en stuc et de moulures en relief qui cernent des miroirs. Toutes les pièces, sans exception, sont rigoureusement rectangulaires; en été, il y fait une fraîcheur de cave profonde.

C'est une carte postale d'Italie. Elle se divise en plusieurs cases, géométriquement réparties, représentant chacune un monument ou un aspect particulier de la ville. Dans la case du centre — sans doute le procédé est-il courant —, Marthe a fait inclure sa propre photographie. On la voit rire et derrière, montant jusqu'à l'horizon bleu, il y a la mer. La mer, Naples, les balustrades qui suivent les méandres du port, où flottent des pinasses et des hors-bord. Et puis Marthe, au beau milieu de cela, droite sur ses jambes, en maillot de bain gris, décoiffée par le vent venu du sud.

Pas bougé, dis-tu. Tu t'habitues à être immobile. Tu essaies de ne penser à rien, de faire sans cesse le vide. Tu bourdonnes avec ta gorge. Tu le fais de plus en plus, et ces bourdonnements tu les étires, les prolonges jusqu'à l'étouffement, l'appel violent de tout ton corps. Allongé ainsi sur le parquet de ta chambre, ils semblent monter à la juste verticale pour se cogner au plafond, redescendre ensuite en épousant au ralenti les moulures torsadées des miroirs.

Puis les volets fermés tout au long de la rue, les deux fenêtres pareilles, les deux rideaux de cretonne, un à un, tirés sur leur tringle. Puis les lampes, celle sur la table en bois verni, celle près du lit, la plus petite, celle qu'on éteint au dernier moment, dernière seconde avant que la nuit n'envahisse l'appartement.

Puis les bruits, les derniers bruits, les jappements des chiots chez le vendeur de chiens, le vrombissement des voitures, le pas rapide des gens attardés, leurs cris parfois quand ils se hèlent.

Puis rien d'autre, rien de plus, que certains échos très vagues. Puis le silence, définitif. Et la forme un peu bêtasse de son corps dans le lit frais. Et ces boules de sommeil dans la poitrine comme du poison très lent quand on respire.

Tu l'as vue disparaître, happée brusquement par du mou et du liquide, enfoncée aussitôt dans les eaux spongieuses, frottée aux arbres des rivières, frappée par les branches sous-marines, roulée dans de la boue, dans la cécité des fleuves et des marécages puants qui, à cause de la chaleur, ressemblaient sur leur surface à des nappes de gas-oil, de l'huile grasse, du sirop d'érable, des travées de mélasse, des rainures de glu et de mucus.

Tu as perdu le nom de ta sœur, ce prénom de fruit, clématite peut-être ou alors carambole, l'image même de son nez et de ses cheveux, parce qu'une fois seulement elle est tombée dans le grand lac aux crocodiles, la maison bulleuse des araignées palmées. Tu as perdu son nom, tu ne sais plus te souvenir. Sans doute était-elle si petite que, durant vos voyages, tu la confondais alors, à l'arrière de la Vauxhall, avec les couvertures, le renflement des boîtes et des paniers, les ventres des valises, bourrées à craquer de bonbons, de vaisselle de Limoges, de poules en confitures, d'armes tranchantes, de serviettes en papier, de moustiquaires et de seringues pour les vaccins contre les mouches et les chats sauvages.

Tu as perdu son nom, tu as perdu la forme de ses jambes, le poids léger de son corps sur tes genoux, et sans doute est-elle morte depuis des années, emportée avec la boue, mangée peu à peu par les crabes des cocotiers et les poissons voraces, déglutie par ce mucus effroyable et l'encre tenace des poulpes imbéciles.

Se taire alors et écouter parler le père coiffé d'un panama, parler la mère couronnée de plumes d'autruche, tenant entre deux doigts la tasse de thé de Chine, l'éventail laqué, le journal genevois livré par avion, se taire comme il est dit, ordonné, et les regarder encore, lui debout près de la table en rotin, toujours en bottes de cavalier, cravache de fibre de verre à la main, elle assise sur la terrasse, la véranda marbrée, avec sur ses genoux le chien-coton de Tuléar qui dort les yeux ouverts, et derrière eux les ramatoas alignées, parfaites dans leur lamba blanc, cérémonieuses comme des grenadiers d'Empire, et nous par terre, à même le sol glacé par la nuit, ou courant encore dans le jardin, autour des bassins, poussant des cris d'enfants qui s'ennuient, s'exaspèrent, tournent en rond derrière les palissades, le ruban des tessons terribles, comme autant de petits fauves de la jungle domestiqués pour un soir.

Et dans ce jardin, parfois, la grosse TSF qu'allumait ton père, vous conviant alors après dîner à écouter de l'opéra, voix de barytons enregistrées avant la guerre, et tout autour de son cigare qu'il suçotait ces milliers de moustiques géants qui déposaient comme de l'acide sur votre peau, milliers de moustiques venus des marais agaçant vos rétines comme le faisait la fumée âcre des cigares, et le père du fond de sa bergère de croire que vous pleuriez d'émotion, de dire de sa voix grave, caverneuse, c'est bien mes fils, c'est bien, vous comprenez, vous êtes des poètes, et de commander alors pour vous récompenser d'autres carafes d'orangeade que les ramatoas apportaient de l'office en courant, non par empressement ou par obséquiosité mais plus naïvement par effroi de la nuit, des ombres tupapau, les fantômes des défunts qui, disaient-elles en pleurnichant, sortaient des tombes dès qu'il y avait de la lumière et du bruit dans l'obscurité, et tu t'en souviens vous vous régaliez longtemps de jus de fruits, de gâteaux au sucre et au coco, vous, tout petits, allongés dans l'herbe haute parmi les bassins d'eau froide, en compagnie de vos chiens dressés, de vos iguanes, vos pécaris somnolents, regardant le père qui fumait délicieusement, les yeux mi-clos, fredonnant les airs de Puccini avec Maria Callas, et plus tard lorsque vous alliez vous coucher, vous entendiez encore dans le noir, entre les draps frais chaque jour trempés dans la Betsiboka, la mélodie légère d'un opéra italien qui montait, en même temps que la fumée des havanes, le plus haut possible dans le ciel avant d'être balayée par les vents hauts de la nuit.

C'est gris, strié, plein de rainures, d'éraflements. On se demande le pourquoi de la photo. Le pourquoi aussi de cette muraille, rempart épais de feuilles qui pendent, s'amoncellent, d'arbres qui se couchent. Au premier plan, là où se tient le photographe (mon père peut-être ou Josua, le boy, malicieux, voleur, tripotant pourtant l'appareil sans savoir), on voit une rambarde de fer. Puis, aussitôt après, emplissant les trois quarts de la photo rectangulaire, cette masse rageuse, indistincte, ce quelque chose de bougé, qui remue avec le vent. A gauche peut-être un visage, animal furieux sortant de la forêt d'eucalyptus, juste sa tête, gueule pleine de dents. Un chien, un fauve, ou les cheveux longs, dépeignés, sur les yeux d'une femme qui descend des montagnes pour crier. On ne sait pas. Les photos qui suivent n'expliquent rien. C'est flou. On ne voit rien. Et pourtant il y a là quelque chose de vivant.

Ton père commandait aux pirogues, vous remontiez pendant des jours la Betsiboka ou le Mahajamba, sillage des canonnières que vous suiviez et qui fendaient la houle et les grumes flottées jusqu'à Tana.

Longues dérives sur les affluents, torrents de Manakana et d'Antolona, longues et lentes dérives avec le père debout près des moteurs, torse nu au soleil, posant si souvent sa main sur ses yeux pour apercevoir les rives lointaines, et les piroguiers devant vous de répéter ensemble la mélopée sourde des pagaies, la respiration mille fois reprise après chaque vague, et d'accoster plus tard, bien plus tard, au petit débarcadère de la mission, plantations des Merlin et des Touzet, palmeraies à perte de vue qu'ils sillonnaient en jeep se guidant à la boussole, et dont l'hydravion jaune, échoué sur les rives de latérite, faisait une fois par mois la liaison jusqu'à Majunga, chargé à craquer de bananes vertes et de coprah ou d'enfants nègres envahis par les fièvres.

Et tu te souviens encore de Fianarantsoa, d'Antsirabé et de ses thermes, de Majunga-la-belle avec ses cases sur le bord de mer et de celle que vous habitiez chaque été, grande case de tôle, de ciment et de feuillages, grande case que vous partagiez avec les contrebandiers du sel, les soldats en cavale, les traîtres et les chasseurs de tout poil, avec au milieu, là aussi, l'immense terrasse qui s'ouvrait sur la mer, les vagues crémeuses et hautes, les mille pirogues du matin, et sur laquelle vous vous reposiez le soir, allongés sur vos transats, coiffés de canotiers de paille ou de casques coloniaux, rafraîchis sans cesse par d'énormes ventilateurs aux pales invisibles, dont le bruit monotone rappelait le battement des chauves-souris quand elles s'élancent sous le poids de la nuit.

Partir, dirent-ils. Ils ont déterré les plants d'aliboufiers et d'angéliques, brisé les couteaux de fer-blanc, les fusils à crocodiles, relâché les serpents et les lynx. Partir vers le sud : bimoteur, pirogue et boutre. Nosy-Komba, région des lémures, des hévéas. Régions calmes au bord de l'eau où le soleil se pose dans les herbes, pareil à un fauve.

Journée sans rien, dis-tu. Combler le vide des heures comme autant de marécages.

Par la fenêtre tu vois l'arbre qui frémit sous le vent, le concierge passer avec les poubelles, les gens partir pour leur travail et revenir, en même temps que la nuit, avec du pain et des légumes dans des cartons.

Tu n'as pas bougé. Tu n'as pas bougé de cette chambre, de cette planche rectangulaire posée sur ses tréteaux, de ce vieil album de famille dont tu tournes les pages sans t'en rendre compte.

Dehors il pleut. On entend que ça tambourine. On croirait que ça cogne, là-haut, sur le toit et les gouttières en métal. Tu n'as pas bougé, journée immobile entre

des paupières fermées, journée pas néces-
saire où tu es resté là, fumant des cigarettes, buvant du Nescafé dans une tasse,
écoutant parfois des concerts sur France-
Musique ou n'écoutant rien, ne buvant
rien, ne fumant rien, assis, allongé ou
debout, silencieusement seul depuis des
heures qui se ressemblent et n'en finissent
pas.

Marcher alors.
Marcher, sillonner la ville dans tous les
sens, longer les berges, raser les murs,
suivre pas à pas les devantures au rideau
baissé, marcher, tard le soir, choisissant
au départ de vagues directions que tu ne
suivras pas, le coin de Montparnasse, les
alentours de Saint-Mandé et de Vincennes,
le Marais et la place des Vosges, marcher,
marcher encore, emporté par le courant
des noctambules, le flot des voitures, les
dernières rames du métro suspendu. Marcher à n'en plus finir, rentrant tard la
nuit, parfois au petit jour, dans ton appartement du douzième ou dans ces petits
hôtels près des jardins et des squares,
chambres vides et noires, inconfortables,

dans lesquelles tu t'abattais, habillé encore, ronflant déjà, terrassé par la fatigue, la tétanie de tous tes membres.

Il y a une photographie d'elle glissée dans un cadre d'argent, sur la commode. Marthe porte une robe blanche de nurse. Devant elle, en file indienne, montés sur des grilles de bois horizontal comme il y en a dans les douches des casernes, une dizaine d'enfants nus. La lumière vient de la droite et l'ombre des enfants porte sur le ciment humide. Ceux qui se trouvent sous la pluie de l'arrosoir penchent la tête. L'eau fraîche mouille leur cou, les épaules osseuses, dégouline le long du ventre. Marthe incline l'arrosoir des deux mains. Son geste est gracieux. Elle paraît danser autour des enfants. Elle est la seule à être touchée par le soleil, la seule à ne pas avoir les cheveux collés par la pluie, la seule encore à bouger dans l'air.

Tête, peau, cheveux, jambes fines tordues et froissées comme le ventre, tout cela avalé par l'opaque.

Tu as disparu, morte peut-être ou dérivant encore parmi la migration des caïmans et des ibis roses, léger remuement, tu n'es plus que cela qui flotte et qui s'enfonce.

Baigner avec toi dans l'eau qui monte, mille vagues où tu nages, tournoies sans un mot, indolente pourtant, doucement portée par les courants les plus frais, à la façon de ces grumes flottées avec lenteur par tous les fleuves qui, ici, se rejoignent, ne font qu'un entre les rochers de schiste et le silence tiède des poissons qui fraient, et ton poids alors soudain sur sa nuque, ses épaules, et tête qui penche, bras qui se lancent pour t'emporter, petite baigneuse accrochée à son grand frère qui nage, petite baigneuse maintenant posée sur son dos, même respiration, même élan contre les vagues, tout d'un coup rémora l'un et l'autre, mains accrochées, cheveux qui se mouillent et s'emmêlent, jambes fines qui, sous l'eau, entre les feuillages arrachés et les brochets, font un sillage de bulles crémeuses, énormes, ensemble.

Maman partie pour la brousse, la jungle arboricole, les eucalyptus et les makis noirs vivant dedans.

Maman partie sans rien dire, faisant semblant, après dîner, d'aller prendre l'air dans la cour pavée, le jardin d'hiver, au bord des bassins de pierres, près des plantes qui poussent effroyablement dans leur pot.

Maman emportée par la jeep, les soldats en armes, par les nègres.

Maman partie, pour trois jours au moins, vers la Betsiboka voir les ponts submersibles, les puits artésiens, les dispensaires sur la côte et les missions loin des pistes.

Maman partie, maman partie soudain sous un casque colonial, avec des moustiquaires, de la pharmacie, des tentes imperméables, son étole de Casamance.

Maman partie tenant dans sa main la carte du pays où tout est bleu et vert.

Et les murs de se couvrir de petits rectangles, rectangles de papier blanc où court son écriture, rectangles posés, scotchés à la hauteur des yeux, près des machines à laver et à moudre, près des palissades et des guérites, fenêtres entourées d'okoumé, sur les degrés de l'escalier central, sur les traversins et les brosses à dents, papiers où il est dit d'apprendre ses leçons, de remonter cette manette, de descendre telle autre, de prendre chaque jour impair un bain d'une demi-heure, de ne pas oublier la nivaquine du matin et la citronnelle du soir, maman qui ne s'en va jamais sans tatouer sa maison...

Table où sont posés les bols en verre qui brillent, reflètent les premiers rayons du jour, maman qui verse le café et donne le sucre, maman qui ne sait rien de vos désirs, de vos caresses, la nuit, sous les moustiquaires de lin, maman qui feint de ne pas vous entendre gémir dès que la nuit tombe, s'abat sur la case de palmes et la véranda humide, maman qui dort, qui dort de l'autre côté de votre chambre, dévêtue peut-être, à même le sol en tout

111

cas — trop chaud, disait-elle, beaucoup trop chaud —, elle qui ne sait rien, ne veut pas savoir, comprendre, imaginer même l'idée de vos déplacements nocturnes, car vous vous relevez pour rejoindre ces cuisinières énormes qui sentent le poisson et la résine des arbres, vous vous relevez pour doubler la haie des magnolias, les plants de caramboles, pour les rejoindre enfin près des écuries et des garages, femmes nègres lancées sur de la paille qui vous laissent venir à elles en dormant, car vous êtes si petits, si maladroits, si infimes, qu'elles confondent dans leur sommeil vos caresses fébriles avec le passage du vent.

Papouasie, longue Papouasie, terre qui n'en finit pas, qui se ressemble, et toi non pas enterrée mais flottant encore dans les marais de la grande Afrique, région des cratères et des aliboufiers, région des fauves qui dorment, ocelots et panthères, lynx mouchetés par les lumières venant d'entre les feuilles et l'ombre qui les troue comme autant de balles explosives, et toi, la douce, l'enfant qui pleure, non pas enterrée mais dans ton marais, immergée, enfoncée, recouverte de moustiques et de tarentules, mélancolie qui t'emporte lentement vers la mer, tu ne seras plus cognée par les branches, les ciels trop bas, les gazelles affolées qui traversent le fleuve de part en part, non, maintenant, tu es là, et l'aile du bimoteur de glisser juste au-dessus de ton visage au moment même où tu passes, sans le savoir, dans les lagons inférieurs, les grands lagons couleur de mercure que jamais ne plissent les houles.

Elle ne rêve à rien ; sans doute dort-elle ou reposée sur la terrasse regarde-t-elle au-delà des palissades la ville aux vingt mille nègres qui, suivant le fleuve du haut de la colline, immobilise la forêt comme une simple muraille de paille et de torchis.

Elle ne rêve à rien : il fait trop chaud. Cela sent la menthe et le jus d'orange, autour d'elle ce sont des pruniers et des magnolias.

Elle est là, elle repose, jambes croisées sous la table, sa main droite agitant l'éventail ou refaisant les vipères de ses oreilles.

Douce maman qui dort à l'ombre des parasols et des mouches somnambules, douce maman qui ne sait pas rêver et boit son café dans le service Empire, parce qu'il n'y a rien d'autre à faire, rien d'autre à imaginer ou à vouloir, et que demain ce sera la saison des pluies, les éboulements de terre sale sur chaque centimètre...

Si lourd le vent qu'il faut attendre encore, assis sur vos caisses marquées au gros feutre et vos fauteuils d'osier transparent, avec derrière vous les cris des porteuses d'eau et ceux des marchands de bananes ; si lourd le vent qu'il faut attendre encore que la poussière se raréfie, que les oiseaux-courlis tombent et se cachent, qu'il fasse enfin plus clair, d'une certaine façon moins sale.

Puis l'avion à hélices se pose en cassant des branches, une traînée rouge sur la piste. Vous courez à sa rencontre, vous criez déjà tout autour car vous êtes des dizaines à vouloir monter, vouloir vous entasser dans sa carlingue parmi les ballots de coton, les tonneaux de fuel, les pièces de rechange.

Ça sent partout la mauvaise huile et le plastique chaud. De très loin, ça tire dans les montagnes. Des chasseurs, dit ton père,

115

en vous hissant dans le fuseau de l'habitacle.

L'avion décolle. A présent, les hélices de chaque côté sont des auréoles. C'est comme un bruit de moissonneuse au-dessus des lacs.

Tu regardes les gens s'arrêter près des vitrines puis rejoindre, en quelques pas, la foule compacte qui déambule boulevard du Montparnasse. Il est onze heures du soir, samedi peut-être. Tu n'as pas faim. Simplement, il y a cette fatigue dans tes jambes, et cette tasse de café noir posée sur sa soucoupe avec, en dessous, le ticket de caisse déchiré de haut en bas. Il est onze heures du soir, minuit déjà. Tu es à l'abri de la nuit et du monde, là, derrière la devanture de café. Tu es à l'abri, bien derrière, caché peut-être, au chaud près du comptoir brillant et les billards électriques. Tu es assis en retrait à la seconde table, à droite en entrant, sur la banquette de skaï, et devant toi il y a la tasse vide de café et la cuillère en inox posée sur le marbre. Tu es assis. Dehors, c'est la nuit tombée et le grésillement des autres, et cela fait comme des remparts successifs de chairs et de vêtements.

Paris, il pleut doucement sur la ville de la neige fondue que salissent les autobus, les voitures rapides. Il pleut doucement des flocons sur les vitres, dans la cour et sur l'arbre.

Paris, après Bruxelles, tes études à l'université, ce deux-pièces crasseux, mal éclairé, sorte de boyau en dessous d'un toit où l'on ne voyait du ciel qu'un quadrilatère ponctué de nuages en morceaux. Paris, juste le bruit du métro qui passe quai de la Rapée, devant les façades rugueuses de l'Institut médico-légal et puis par-dessus la Seine.

Paris, là où tu t'ennuies, ne sais que faire, regarde inlassablement ces photographies collées sur du papier fort. Paris où tu ne sais plus que marcher au hasard ou bien dormir, t'affaler quelque part, t'écouter respirer.

Dernière photo, un peu floue, Marthe qui marche, légèrement décoiffée par le vent. Rotterdam ou ailleurs. Elle respire pourtant quelque part et tu souffles sur le gris de sa bouche.

Toutes les aventures sont des mots.

Tombant d'un prunier en fleurs pour ricocher méchamment sur du bois, manger de la bouillasse, rond dans l'eau comme une petite pierre d'améthyste, elle tombe toute vivante avec son goût de sucre d'orge dans le noir bouillant d'une eau qui remuait à peine.

Tu as perdu ton opossum.

La première chose regardée, écriras-tu, ce n'est pas la mer mais plutôt le rivage et les hangars de tôle, le flot des voitures autour du débarcadère. Et plus loin le commencement de la route parmi les immeubles, l'air russe de la cathédrale.

A bord du *Calédonien* non pas les coursives, ni les cabines, mais les ponts arrière où les gens se photographient, font signe. On tient les chapeaux, le vent est fort. Des enfants rient de la sirène, caressent le bois des chaloupes bâchées.

Puis c'est le sillage des hélices, les remous verts soulevés par des milliards de bulles. On se penche par-dessus le bastingage, le métal blanc des rambardes.

Les côtes, après, sont prises par les

brumes. On ne sait si c'est le flou de la distance ou l'évaporation du soir. Le lit dans la cabine n'est qu'une mauvaise banquette. Et aussitôt l'évidence de ce bruit : machines continuelles sur la mer, et elle, gigantesque, sous la coque.

Le sommeil vient mal, il nous entortille. Peur insensée à l'idée de se relever, de marcher sur les ponts — seul, entre les murs des vagues montantes.

Le *Calédonien*, c'est, au retour, un cargo partant de Marseille pour rejoindre les îles rouges, contournant l'Afrique, longeant le canal de Mozambique, rattrapant Fort-Dauphin afin de mouiller ensuite dans les eaux tièdes de Tamatave. Tu as vingt-trois ans. Sur les photos que tu nous as envoyées de Bruxelles, on te voit souvent en compagnie d'une jeune femme, grande, brune, un peu arrogante. Elle t'écrit des lettres de Paris ou bien de Londres. Tu es sur la véranda, assis près de la table en rotin sous laquelle il y a des chiens couchés. Tu parles avec ton père de la plantation, de la diminution du prix du sucre, des ennuis mécaniques du gros tracteur.

Ta mère n'a pas changé. Elle vieillit doucement. Tu lui montres sur la carte dépliée
les escales que tu as faites : Alger, Cona-
kry, Benguela. Tu repars dans six mois
pour Paris afin de finir tes études. Tu dis
te souvenir de ta sœur quand elle avait
des algues autour de la langue.

Tout cela peut-être. Tout cela qui n'en finit pas de venir, de mourir, lentes images où vous apparaissez, immobiles à chaque fois, stoppés dans ce quelque chose qui vous a fait vivants, mouvements du visage et puis des lèvres qui vous entraînent, et vous de dire qu'il faut se souvenir, écrire les traces, photographier ce qui reste, ne plus oublier les noms, les lieux, le lac profond où la petite sœur disparut, un soir, parmi des larmes bleues et le mucus étrange.

Grand cargo qui longe l'Afrique avec ses moteurs, mille rumeurs de la forêt portées par du vent chaud. Grand cargo, transatlantique, cheminées bien hautes qui noircissent le ciel, poussent sur la mer des halètements de pistons.

Grand cargo où tu prends l'air, bastingage tricoté de bouées rouges, dures, cartonneuses et peintes. Et peut-être le souvenir des femmes. Ou celui des rues de Paris ou alors la Casamance et les danseuses de Benguela. Tu n'as rien fait jusqu'ici. Tu transpires sous ton casque colonial et rêves de marcher sur la terre ferme. Tu rêves au bruit des mangues sur ta bouche, aux flottements des lambas dans la pénombre des forêts. Tu dis :

bientôt, il me faudra marcher, avancer encore et reconnaître l'endroit, la plantation des Jamadir, la plantation soigneuse et calme où les bananes et le coprah fermentent, le lac enfin et ses lueurs sous-marines.

Bientôt, dis-tu, comme si rien n'avait été et que jusque-là vous aviez vécu dans du mensonge.

ACHEVÉ D'IMPRIMER
LE 17 JANVIER 1986
SUR LES PRESSES DE
DOMINIQUE GUÉNIOT
IMPRIMEUR A LANGRES

Dépôt légal : février 1986
N° d'édition : L 795
N° d'impression : 1363